CM0092410I

Primera edición: junio 1996
Vigésima edición: junio 2010

Dirección editorial: Elsa Aguiar
Traducción del portugués: Manuel Barbadillo

Título original: *O domador de monstros*
© del texto: Ana María Machado, 1980
© de las ilustraciones: María Luisa Torcida
© Ediciones SM, 1996
   Impresores, 2
   Urbanización Prado del Espino
   28660 Boadilla del Monte (Madrid)
   www.grupo-sm.com

ATENCIÓN AL CLIENTE
Tel.: 902 121 323
Fax: 902 241 222
e-mail: clientes@grupo-sm.com

ISBN: 978-84-348-5063-7
Depósito legal: M-20928-2010
Impreso en España / *Printed in Spain*
Orymu, SA - Ruiz de Alda, 1 - Pinto (Madrid)

El domador
de monstruos

Ana María Machado

Ilustraciones de María Luisa Torcida

5

Había una vez un niño
que se llamaba Sergio.
Era un niño como tú y como yo,

que unas veces
tenía miedo

y otras veces
era muy valiente.

Una noche,
antes de dormirse,
se quedó mirando las figuras
que las sombras de los árboles
formaban en la pared
de su cuarto.

13

14

Las sombras se agitaban,
cambiaban de lugar,
creaban figuras horrorosas,
horribles, horrendas.
    Sergio tuvo miedo.

Para quitarse el miedo,
decidió hablar con el monstruo.

¿Te crees
que me das miedo
porque eres feo?
Como me sigas mirando así,
llamo a un monstruo
más feo que tú
para que te asuste.

Pero el monstruo de la pared
no le hizo caso.

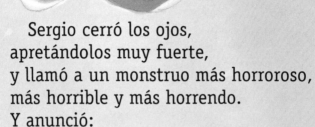

Sergio cerró los ojos,
apretándolos muy fuerte,
y llamó a un monstruo más horroroso,
más horrible y más horrendo.
Y anunció:

¡Aquí viene un monstruo
con un solo ojo!

Cuando Sergio abrió los ojos,
el monstruo viejo
se había ido de la pared,
y allí estaba ahora el nuevo,
con su solo ojo,
mirándole.

19

Entonces, Sergio dijo:

Como me sigas
mirando así,
llamo a un monstruo
más feo que tú
para que te asuste.

Pero el monstruo de la pared
no le hizo caso.

Entonces, Sergio anunció:

¡Aquí viene un monstruo
con un solo ojo
y dos bocas!

Cuando Sergio abrió los ojos,
el monstruo viejo
se había ido de la pared,
y allí estaba ahora el nuevo,
mirándole con su solo ojo
y sus dos bocas.

Entonces, Sergio dijo:

Como me sigas
mirando así,
llamo a un monstruo
más feo que tú
para que te asuste.

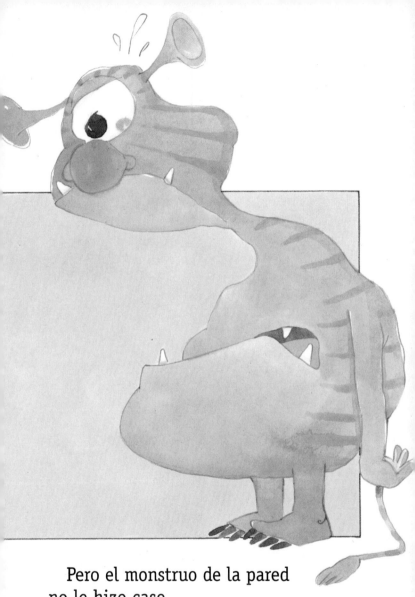

Pero el monstruo de la pared
no le hizo caso.

Entonces, Sergio anunció:

¡Aquí viene un monstruo
con un solo ojo,
dos bocas
y tres cuernos!

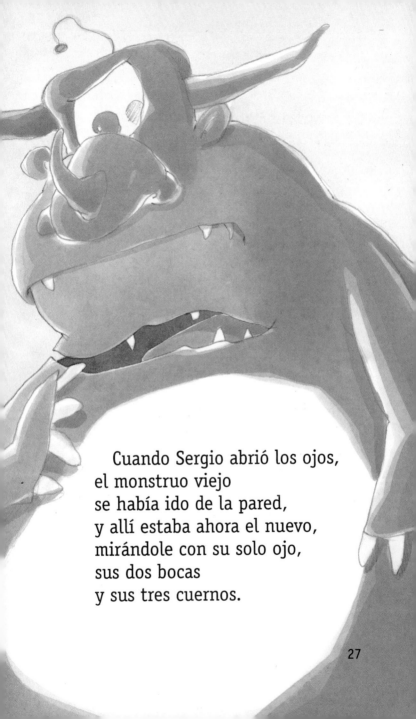

Cuando Sergio abrió los ojos,
el monstruo viejo
se había ido de la pared,
y allí estaba ahora el nuevo,
mirándole con su solo ojo,
sus dos bocas
y sus tres cuernos.

Entonces, Sergio dijo:

Como me sigas
mirando así,
llamo a un monstruo
más feo que tú
para que te asuste.

Pero el monstruo de la pared
no le hizo caso.

Entonces, Sergio anunció:

¡Aquí viene un monstruo
con un solo ojo,
dos bocas,
tres cuernos
y cuatro trompas!

Cuando Sergio abrió los ojos,
el monstruo viejo
se había ido de la pared,
y allí estaba ahora el nuevo,
mirándole.
Con su solo ojo,
sus dos bocas,
sus tres cuernos
y sus cuatro trompas.

Poco después, Sergio dijo:

Como me sigas
mirando así,
llamo a un monstruo
más feo que tú
para que te asuste.

Pero el monstruo de la pared
no le hizo caso.

Entonces, Sergio anunció:

> ¡Aquí viene un monstruo
> con un solo ojo,
> dos bocas,
> tres cuernos,
> cuatro trompas
> y cinco ombligos!

Cuando Sergio abrió los ojos,
el monstruo viejo
se había ido de la pared,
y allí estaba ahora el nuevo,
mirándole.
Con su solo ojo,
sus dos bocas,
sus tres cuernos,
sus cuatro trompas
y sus cinco ombligos.

Poco después, Sergio dijo:

Como me sigas mirando así,
llamo a un monstruo más feo que tú
para que te asuste.

Pero el monstruo de la pared
no le hizo caso.

Entonces, Sergio anunció:

¡Aquí viene un monstruo
con un solo ojo,
dos bocas,
tres cuernos,
cuatro trompas,
cinco ombligos
y seis lenguas!

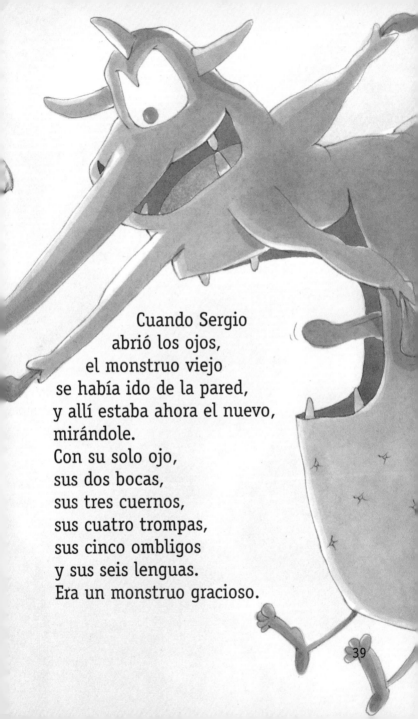

Cuando Sergio
abrió los ojos,
el monstruo viejo
se había ido de la pared,
y allí estaba ahora el nuevo,
mirándole.
Con su solo ojo,
sus dos bocas,
sus tres cuernos,
sus cuatro trompas,
sus cinco ombligos
y sus seis lenguas.
Era un monstruo gracioso.

39

Poco después, Sergio dijo:

Como me sigas
mirando así,
llamo a un monstruo
más feo que tú
para que te asuste.

Pero el monstruo de la pared
no le hizo caso.

Entonces, Sergio anunció:

> ¡Aquí viene un monstruo
> con un solo ojo,
> dos bocas,
> tres cuernos,
> cuatro trompas,
> cinco ombligos,
> seis lenguas
> y siete rabos!

Cuando Sergio abrió los ojos,
el monstruo viejo
se había ido de la pared,
y allí estaba ahora el nuevo,
mirándole.
Era un monstruo horroroso y gracioso.
Con su solo ojo,
sus dos bocas,
sus tres cuernos,
sus cuatro trompas,
sus cinco ombligos,
sus seis lenguas
y sus siete rabos.

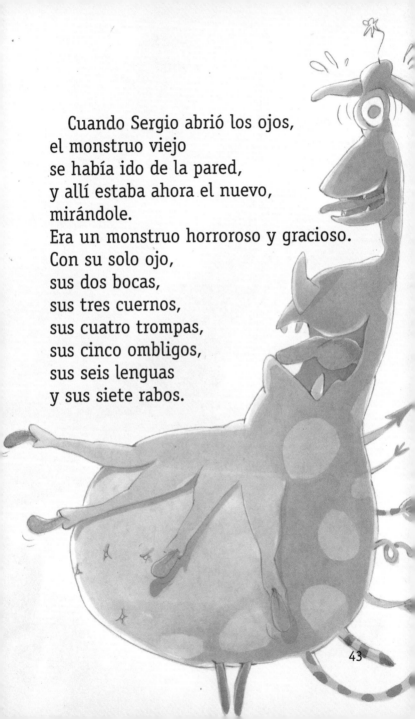

Sergio tenía muchas ganas
de reírse,
pero dijo:

Como me sigas
mirando así,
llamo a un monstruo
todavía más feo
para que te asuste.

Pero el monstruo de la pared
no le hizo caso.

Entonces, Sergio anunció:

¡Aquí viene un monstruo
con un solo ojo,
dos bocas,
tres cuernos,
cuatro trompas,
cinco ombligos,
seis lenguas,
siete rabos
y ocho jorobas!

Cuando Sergio abrió los ojos,
el monstruo viejo
se había ido de la pared,
y allí estaba ahora el nuevo,
mirándole.
Era un monstruo horroroso y gracioso,
horrible y alegre.
Con su solo ojo,
sus dos bocas,
sus tres cuernos,
sus cuatro trompas,
sus cinco ombligos,
sus seis lenguas,
sus siete rabos
y sus ocho jorobas.

47

Sergio tenía muchas más ganas
de reírse,
pero dijo:

Como me sigas
mirando así,
llamo a un monstruo
todavía más feo
para que te asuste.

Pero el monstruo de la pared
no le hizo caso.

Entonces, Sergio anunció:

¡Aquí viene un monstruo
con un solo ojo,
dos bocas,
tres cuernos,
cuatro trompas,
cinco ombligos,
seis lenguas,
siete rabos,
ocho jorobas
y nueve piernas!

Cuando Sergio abrió los ojos,
el monstruo viejo
se había ido de la pared,
y allí estaba ahora el nuevo,
mirándole.
Era un monstruo horroroso y gracioso,
horrible y alegre,
horrendo y divertido.
Con su solo ojo,
sus dos bocas,
sus tres cuernos,
sus cuatro trompas,
sus cinco ombligos,
sus seis lenguas,
sus siete rabos,
sus ocho jorobas
y sus nueve piernas.

Sergio ya no podía aguantar más
las ganas de reír,
pero, sin embargo, dijo:

Como me sigas
mirando así,
llamo a un monstruo
todavía más feo
para que te asuste.

Pero el monstruo de la pared
no le hizo caso.

Entonces, Sergio anunció:

¡Aquí viene un monstruo
con un solo ojo,
dos bocas,
tres cuernos,
cuatro trompas,
cinco ombligos,
seis lenguas,
siete rabos,
ocho jorobas,
nueve piernas,
diez corazones,
once máscaras,
doce sonrisas,
trece risas,
catorce carcajadas,
quince volteretas...!

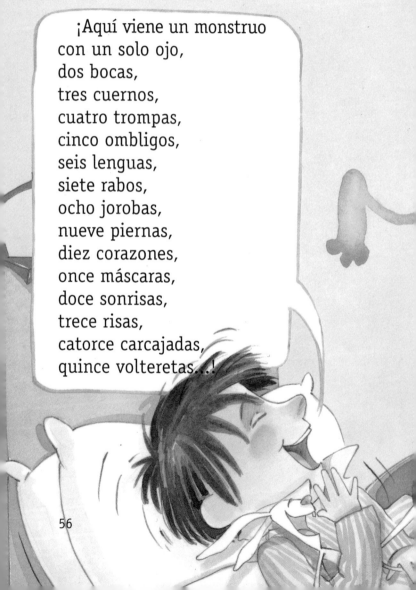

Y Sergio se reía tanto
que no podía ni hablar.
Entonces, el monstruo de la pared
se asustó
con todas aquellas payasadas,
y se marchó.

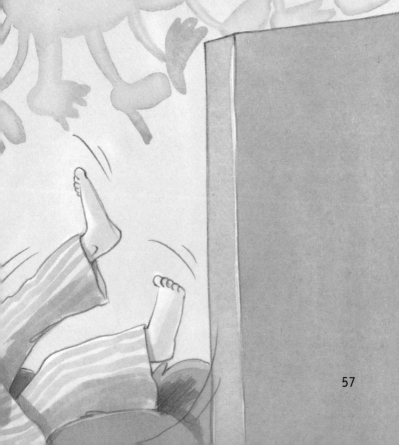

Sergio se rió todavía mucho más,
hasta que acabó durmiéndose
y soñando.
Eran unos sueños
en los que no había
monstruos horrorosos,
horribles y horrendos,
sino unos monstruos graciosos,
alegres y divertidos.

Con decenas de risas,
centenas de carcajadas
y millares de payasadas.

61